CAPITAINE BOBETTE

ET L'INVASION DES MÉCHANTES BONNES FEMMES DE LA CAFÉTÉRIA VENUES DE L'ESPACE

(SUIVI DE: L'ATTAQUE DES TOUT AUSSI VILAINS ZOMBIES ABRUTIS DE LA CUISINE)

CAPITAINE BOBETTE
ET L'INVASION DES MÉCHANTES BONNES FEMMES DE LA CAFÉTÉRIA VENUES DE L'ESPACE
(SUIVI DE : L'ATTAQUE DES TOUT AUSSI VILAINS ZOMBIES ABRUTIS DE LA CUISINE)

Nº 3

Un troisième roman épique de

DAV PILKEY

Adaptation de Grande Allée Translation Bureau

Les éditions Scholastic

Pour toute information concernant les droits, s'adresser à
Permissions Department, Scholastic Inc.,
555 Broadway, New York, NY 10012.

ISBN 0-439-98560-9

Titre original : Captain Underpants and the Invasion of the Incredibly Naughty
Cafeteria Ladies from Outer Space (and the Subsequent Assault of the Equally Evil
Lunchroom Zombie Nerds)

Édition publiée par Les éditions Scholastic, 175 Hillmount Road,
Markham (Ontario) L6C 1Z7

7   6   5   4   3   Imprimé au Canada   04   05   06   07

POUR JOHN « SPARKY » JOHNSON

TABLE DES MATIÈRES

LES ÉDITIONS
DE L'ARBRE INC.

CHAPITRE 1
GEORGES ET HAROLD

Voici Georges Barnabé et Harold Hébert. Georges, c'est le petit à gauche avec une cravate et des cheveux coupés carré. Harold, c'est le garçon aux cheveux fous à droite qui porte un t-shirt. Ils vont t'accompagner tout au long de l'histoire.

Si vous cherchez des qualificatifs décrivant bien Georges et Harold, je vous suggère : drôles, déterminés et fins.

Leur directeur, M. Bougon, dirait plutôt que ce sont de DRÔLES de gars DÉTERMINÉS à tout faire pour arriver à leurs FINS.

Mais ne prêtez pas attention à ce qu'il dit.

En fait, Georges et Harold sont des garçons intelligents au cœur d'or. Leur seul problème, c'est qu'ils sont en 4e année. Et, à l'école qu'ils fréquentent, on s'attend à ce qu'ils se tiennent tranquilles sur leur chaise et qu'ils écoutent leur professeur sept heures par jour!

Georges et Harold ne sont pas très bons là-dedans...

Mais ils sont pas mal bons pour faire des bêtises. Malheureusement, cela leur amène parfois des ennuis, et même de GROS ennuis. Ainsi, une fois, la Terre a failli être détruite par une armée de vilains zombies géants.

Mais, avant de te raconter cette histoire-là, en voici une autre...

CHAPITRE 2
MENACE DU FIN FOND DE L'ESPACE

Minuit sonne à Saint-Herménégilde quand un objet mystérieux illumine le ciel.

Il brille d'une lueur vive pendant une ou deux secondes, puis atterrit non loin de l'école primaire Jérôme-Hébert. Nul n'y prête attention.

Le lendemain, tout semble normal. Personne ne remarque qu'il y a une soucoupe volante sur le toit de l'école. Personne ne lève les yeux et ne dit : « Eh! On dirait qu'il y a un vaisseau spatial sur le toit de l'école! »

Si quelqu'un l'avait fait, rien de ce qui est arrivé ne serait arrivé et tu ne serais pas calé dans ton fauteuil à lire ce livre. Mais tout cela est bel et bien arrivé.

Comme tu le vois, il y a un vaisseau spatial sur le toit. À l'intérieur se trouvent trois des extraterrestres les plus diaboliques, les plus hideux et les plus cruels qui aient jamais atterri sur le toit d'une école primaire.

Leurs noms? Zorx, Klax et Jennifer. Leur mission? Conquérir la planète Terre.

« D'abord, déclare Zorx, il faut trouver une façon de s'infiltrer dans l'école. »

« Puis, ajoute Klax, nous transformerons tous les enfants en diaboliques vilains zombies géants pourvues de superpouvoirs! »

« Enfin, affirme Jennifer, nous nous servirons d'eux pour nous emparer de la planète. » Zorx et Klax se mettent alors à rire, mais à rire…

« Silence, petites têtes! aboie Jennifer. Si on veut que notre plan fonctionne, il faut attendre le bon moment dans l'histoire. En attendant, observons-les au trinocloscope. »

CHAPITRE 3
INITIATION AU SOMMEIL PROFOND

Pendant ce temps-là, à 10 h 15, Georges et Harold font des bruits bizarres pendant leur cours d'ISP (initiation aux sciences physiques).

« *Miaou!* » fait Georges sans remuer les lèvres.

« *Grrr!* » répond Harold, en grognant la bouche fermée.

« Voilà que ça recommence! se plaint le professeur d'ISP, M. Barnicle. Je suis sûr qu'il y a un chat et un chien dans la classe. »

« On n'a rien entendu », disent en chœur les enfants, qui se retiennent pour ne pas rire.

« J'imagine que j'entends des voix, encore une fois », s'inquiète M. Barnicle.

« Vous devriez peut-être aller consulter un docteur », conseille Georges d'un ton plein de sollicitude.

« Je ne peux pas, s'exclame M. Barnicle. C'est aujourd'hui qu'on fait un volcan! »

Tous les enfants grognent de dépit. Les expériences de M. Barnicle sont en général complètement ridicules. Elles ne marchent jamais et sont toujours ennuyantes.

Cependant, l'expérience d'aujourd'hui est différente. M. Barnicle a apporté un gros volcan en papier mâché qui n'a pas l'air vrai. Il remplit le volcan du contenu d'une boîte complète de p'tite vache.

« La p'tite vache est le nom usuel du bicarbonate de sodium », explique M. Barnicle.

« *Miaou!* »

« Hum! fait M. Barnicle, les enfants, auriez-vous entendu par hasard... oh! et puis, laissez faire... »

M. Barnicle ouvre une bouteille pleine d'un liquide transparent. « Observez maintenant ce qui arrive lorsque je verse le vinaigre sur le bicarbonate de sodium », explique-t-il.

Les enfants regardent le volcan entrer en éruption. Une bouillie gluante jaillit, puis dévale les pentes du volcan, et coule sur le pupitre jusque sur le plancher. Au bout de quelques secondes, le plancher est tout collant.

« Oups! fait M. Barnicle, je crois que j'ai trop mis de bicarbonate. »

Georges et Harold sont éberlués.

« Comment avez-vous réussi à faire ça? » demande Harold.

« Eh bien, entonne M. Barnicle, le radical COOH de l'acide acétique contenu dans le vinaigre réagit avec le radical OH du bicarbonate pour former de l'eau et du dioxyde de carbone, gaz incolore dont la formu... »

« *Miaou!* »

« Hum! hum! fait M. Barnicle en interrompant son explication, ex.... excusez-moi, les enfants, mais je crois que je dois aller chez le docteur. »

Son manteau à peine mis, voilà qu'il est déjà
parti. Georges et Harold se lèvent et se mettent à
étudier le volcan avec un grand intérêt.

« Penses-tu la même chose que moi? » demande
Georges.

« Je pense que je pense la même chose que toi »,
répond Harold.

CHAPITRE 4
LA RECETTE

Après la classe, les deux garçons se précipitent chez Georges pour établir leur plan d'attaque.

Ils s'assoient et rédigent une recette bidon.

« Il suffit d'ajouter une boîte de p'tite vache et une bouteille de vinaigre à la recette, déclare Georges. Ça va lui donner un peu de punch. »

« Et pourquoi pas deux boîtes de p'tite vache et deux bouteilles de vinaigre? suggère Harold. Ça va lui donner encore plus de punch! »

« Bonne idée! » s'exclame Georges.

CHAPITRE 5
LES BOUGONNETTES

Le lendemain matin, Georges et Harold se rendent à la cafétéria et collent une carte d'anniversaire sur la porte de la cuisine.

Les employées de la cafétéria arrivent peu après.

« Oh, regardez! s'exclame la chef de cuisine, Mlle Cyr. C'est aujourd'hui l'anniversaire de M. Bougon, et il nous demande de lui faire de petits gâteaux! Quelle bonne idée! »

« J'ai une suggestion à faire », propose la cuisinière, Mme Appoint. « Pourquoi ne pas lui faire une surprise en faisant des gâteaux pour toute l'école? »

« Bonne idée! approuve Mlle Cyr. Voyons un peu, c'est une recette pour dix et l'école compte en tout environ 1000 élèves et professeurs, ce qui fait... »

« ... 100 œufs, 150 tasses de farine, 200 boîtes de bicarbonate de sodium, 7 pintes de colorant vert, 50 bâtonnets de beurre, 150 tasses de sucre et... voyons voir... 200 bouteilles de vinaigre! »

BOUGONNETTES

INGRÉDIENTS

1 œuf
$1\frac{1}{2}$ tase de farine
2 boîtes de bicarbonate
    de sodiumme
$1\frac{1}{2}$ tase de sucre
$\frac{1}{2}$ bâtonnet de beurre
$\frac{1}{4}$ de tase de colorant vers
2 bouteilles de vinaigre

Donne 10
petits gâteaux

DIRECTIVES

Mélanger la farine et le sucre au bicarbonate de sodiumme et à l'œuf. Faire fondre le beurre et le verser dans le mélange. Ajouter le colorant en mélangeant. Ajouter maintenant le vinaigre. Bien mélanger. Verser dans des moules à moffennes.
Cuire 3 heures à 45°.

Les employées de la cafétéria rassemblent tous les ingrédients nécessaires. Elles mettent les œufs, le colorant, le lait et le bicarbonate de sodium dans un grand bol et mélangent vigoureusement.

Puis l'une d'entre elles verse le vinaigre...

CHAPITRE 6
CE QUI EST ENSUITE ARRIVÉ

(Remarque : Secoue le livre de tous les côtés et crie le mot suivant de toutes tes forces. N'aie pas peur, personne ne te punira.)

« *BROUOUOUOUCH!* »

CHAPITRE 6½
ATTENTION!
LA VAGUE ARRIVE...

Une grande vague de liquide vert défonce les portes de la cafétéria et inonde les couloirs, renversant tout sur son passage. Sacs d'école, babillards, boîtes à lunch, portemanteaux, compartiments à trophées, rien ne résiste à cet immense raz-de-marée.

CUISINE

Il envahit les ailes nord, est et ouest de l'école et recouvre tout ce qu'il rencontre sur son passage, depuis les fontaines des couloirs de l'école jusqu'au texte de cette page. Il englue les casiers et dévale les escaliers.

Au bout d'un moment, les classes sont envahies à leur tour.

« Oh! oh! s'inquiète Georges, quelque chose me dit qu'elles font plus que juste une fournée de bougonnettes... »

« Mais, mais, c'est leur idée à elles, pas la nôtre! » proteste Harold.

« À propos d'idées, j'en ai une bonne », suggère Georges.

« Quoi? » demande Harold.

« SAUVONS-NOUS! » crie Georges.

CHAPITRE 7
LA COLÈRE DES EMPLOYÉES
DE LA CAFÉTÉRIA

Le lendemain après-midi, pendant que des équipes professionnelles nettoient les corridors collants et verts, et les classes collantes et vertes, les employées de la cafétéria sont en réunion avec le directeur, dans son bureau lui aussi collant et vert.

« Mais ce n'est même pas mon anniversaire! » crie-t-il.

« Nous savons que vous n'y êtes pour rien, proteste Mlle Cyr. On croit que c'est la faute de ces deux petits chenapans, Georges et Harold. »

« ÉVIDEMMENT QUE C'EST LA FAUTE DE GEORGES ET D'HAROLD! Tout est toujours de leur faute, hurle M. Bougon en roulant les yeux. Mais avez-vous des preuves? »

« DES PREUVES? s'écrient-elles. Ils nous jouent toujours des tours! Ils changent tous les jours l'ordre des lettres de notre menu. Ils mettent du poivre dans les distributeurs de serviettes. Ils dévissent le couvercle des salières. Ils partent des batailles de nourriture. Ils font du traîneau avec nos plateaux. Ils font rire les élèves et le lait leur sort par le nez. Et ils passent leur temps à faire d'horribles bandes dessinées sur nous! »

CHAPITRE 8

LE CAPITAINE BOBETTE ET LA NUIT DES ZOMBIES DE LA CAFÉTÉRIA

Auteurs :
Georges Barnabé
et Harold Hébert

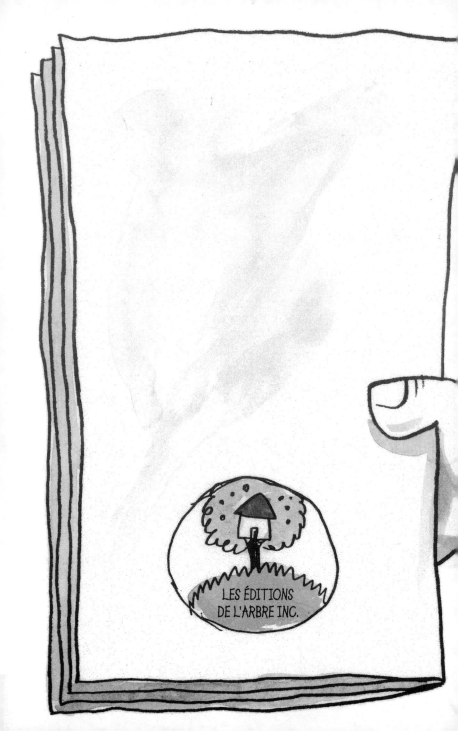

LES ÉDITIONS
DE L'ARBRE INC.

CHAPITRE 9
DÉMISSION

« On est tannées de ces deux chenapans! s'écrie Mlle Cyr. Ils sont toujours en train de se moquer de notre cuisine. »

« Nos plats ne sont pas si mal que ça, confirme Mme Appoint. J'ai mangé à la cafétéria une fois et j'ai été à peine malade. »

« Je ne peux pas les punir sans preuve », proteste le directeur.

« Puisque c'est comme ça, on démissionne! » déclarent-elles en chœur.

« Mesdames, mesdames, proteste M. Bougon, soyez raisonnables! Vous ne pouvez pas donner votre démission sans préavis. »

Mais les bonnes femmes de la cafétéria en ont assez. Elles sortent, la tête haute, du bureau vert et collant du directeur.

« Misère! s'exclame-t-il, où pourrais-je trouver trois employés pour les remplacer d'ici demain matin? »

M. Bougon est au désespoir quand il entend quelqu'un frapper à la porte. Trois géantes au maquillage très épais s'avancent vers lui.

« Bonjour! dit la première de ces dames, je m'appelle... euh... Zorxette, et voici mes sœurs Klaxette et... euh... Jenniferette. Nous sommes venues postuler pour l'emploi de dames de cafétéria. »

« Ça tombe bien! s'exclame le directeur. Avez-vous de l'expérience? »

« Non », répond Klaxette.

« Avez-vous des références? » demande-t-il.

« Non », répond Zorxette.

« Avez-vous des pièces d'identité? » demande-t-il.

« Non », répond Jenniferette.

« Parfait! Vous êtes engagées! » déclare M. Bougon.

« Merveilleux! s'écrie Jenniferette, notre plan pour conquérir le m... je veux dire, pour donner aux enfants des repas sains et nutritifs est maintenant à point. »

Les trois dames éclatent d'un rire dément, quittent le bureau du directeur et se mettent à préparer le menu du lendemain.

« Ç'a été plus facile que je ne l'aurais cru »,
affirme M. Bougon.

« Maintenant, Harold et Georges, vous ne
perdez rien pour attendre. »

CHAPITRE 10
PRIS!

Georges et Harold sont dans la salle d'étude lorsqu'ils entendent une annonce à l'intercom :

« Georges Barnabé et Harold Hébert
sont demandés au bureau
du directeur. »

« Oh non! s'écrie Harold, on est cuits! »

« Pas si vite! proteste Georges, n'oublie pas qu'on n'est pas responsables de ce qui est arrivé hier. C'était un accident! »

Mais le directeur n'est pas très compréhensif.
« Même si je ne peux pas le prouver, je sais bien que
c'est vous qui êtes responsables du désastre d'hier.
Je vais vous punir en vous interdisant de manger à
la cafétéria jusqu'à la fin de l'année. »

« Ne plus manger à la cafétéria? chuchote
Harold, je croyais qu'il allait nous punir! »

« Tu parles! approuve Georges. Avec de la
chance, peut-être que, si on est vraiment tannants,
il va aussi nous interdire de faire nos devoirs. »

« J'ai tout entendu! hurle le directeur. Je veux vous avoir à l'œil. C'est pourquoi, à partir de maintenant, vous allez manger votre propre dîner dans mon bureau. »

« Zut! » soupire Harold.

« Mais on a rien fait, gémit Georges, on a rien fait du tout! »

« Tant pis pour vous! » coupe le directeur.

« C'est la première fois qu'on se fait punir pour quelque chose qu'on n'a pas fait! » se plaint Georges.

« Si on ne compte pas les fois où on n'a pas fait nos devoirs », précise Harold.

« C'est vrai », ricane Georges.

CHAPITRE 11
EN TÊTE-À-TÊTE
AVEC M. BOUGON

Le lendemain, Georges et Harold apportent leurs sandwichs au bureau du directeur.

« Je te donne la moitié de mon sandwich au beurre d'arachides et aux vers en gélatine, propose Georges, si tu me donnes la moitié de ton sandwich au thon et aux brisures de chocolat et guimauves miniatures. »

« OK, dit Harold, veux-tu de la sauce barbecue avec ça? »

« Vous êtes DÉGUEULASSES! » hurle M. Bougon.

Ils se mettent ensuite à grignoter des croustilles avec de la crème fouettée et des brisures de chocolat. M. Bougon devient de plus en plus vert.

« Qu'est-ce qu'il y a pour dessert? » demande Harold.

« Des œufs durs dans un cône, recouverts de fudge chaud », répond Georges.

« BREUHHRK! crie le directeur, je n'en peux plus! » Il se lève et se traîne jusqu'à la porte afin de respirer un peu d'air frais.

« Tu sais, propose Georges, maintenant que M. Bougon est parti, on peut courir jusqu'à la cafétéria et changer les lettres du babillard. »

« Bonne idée! » approuve Harold.

CROUSTILLES

En arrivant à la cafétéria, Georges et Harold s'aperçoivent qu'il y a quelque chose de bizarre sur le babillard.

« Qu'est-ce qui se passe? » s'étonne Georges.

« On dirait que quelqu'un a déjà changé les lettres », dit Harold.

« Laisse faire le babillard, s'écrie Georges. Regarde plutôt les élèves et les profs. Ils ont changé. »

C'est vrai. Tous ceux qui entrent dans la cafétéria ont l'air normal, mais ceux qui en sortent ont l'air étrange.

« Regarde! s'écrie Georges, ils portent tous des lunettes brisées recollées au papier collant et des protège-poches en vinyle. Ils sont tous devenus des... »

« ... des abrutis », souffle Harold.

« Regarde-leur la peau », remarque Georges. « Ils ont tous la peau grise et gluante. Ça ne peut vouloir dire qu'une seule chose! »

« Ils sont de... devenus de vilains ZOMBIES!?? » demande Harold.

« J'ai bien peur que oui », répond Georges.

« J'espère juste qu'ils sont gentils », dit Harold.

« As-tu déjà entendu parler de gentils vilains zombies? » demande Georges.

« J'ai peur », gémit Harold.

« Ce n'est pas le temps d'avoir peur, déclare Georges. Il faut d'abord savoir ce qui se passe ici. »

« C'est bien ce que je craignais », se lamente Harold.

CHAPITRE 12
CE QUI SE PASSE

Georges et Harold rampent jusqu'à la cafétéria et se glissent derrière une table. Les méchantes bonnes femmes de la cafétéria venues de l'espace discutent de leurs plans de conquête du monde.

« Regardez ces minuscules Terriens, se moque Zorx, ils sont en train de se transformer en zombies après avoir bu notre LAIT FRAPPÉ POUR ZOMBIES. »

« Ce ne sera plus bien long, ajoute Klax. Demain, nous leur donnerons le SUPERJUS CROISSANCE ACCÉLÉRÉE et ils deviendront aussi grands que des arbres Xleqxispfiers! »

« Ensuite, conclut Jennifer, nous relâcherons nos vilains zombies géants et cette planète sera enfin à NOUS! »

Sur ce, elles rejettent la tête en arrière et éclatent d'un rire hystérique.

« Il faut avertir M. Bougon », chuchote Harold.

« D'accord, approuve Georges à voix basse, mais il faut d'abord se débarrasser du SUPERJUS CROISSANCE ACCÉLÉRÉE! »

Georges étend précautionneusement le bras et prend le carton de jus.

« Qu'est-ce qu'on va en faire? » demande Harold.

« Jetons-le par la fenêtre, propose Georges. Comme ça, on n'empoisonnera personne. »

« Bonne idée! » approuve Harold.

Tandis que les méchantes bonnes femmes de la
cafétéria venues de l'espace continuent de rire,
Georges jette par la fenêtre le contenu du carton de
SUPERJUS CROISSANCE ACCÉLÉRÉE.

« Tu sais, chuchote Harold, M. Bougon ne croira
jamais qu'une bande de bonnes femmes de cafétéria
venues de l'espace ont transformé tout le monde en
vilains zombies abrutis. »

« Évidemment qu'il va nous croire, commente
Georges, il FAUT qu'il nous croie... j'espère qu'il va
nous croire... »

CHAPITRE 13
IL NE LES CROIT PAS

« C'est l'histoire la plus ridicule que j'aie jamais entendue », s'esclaffe M. Bougon.

« Mais c'est vrai! » proteste Harold.

« Toute l'école s'est transformée en vilains zombies abrutis, explique Georges, les enfants, les profs, tout le monde je vous dis! »

« Puisque c'est comme ça, déclare le directeur, je vais vous prouver que vous avez tort. » Il presse sur un bouton et appelle sa secrétaire.

Mlle Empeine entre dans la pièce. Elle porte une robe de polyester à pois roses, des bas orthopédiques et d'horribles souliers pantoufles à support plantaire.

« Vous voyez? commente Harold, elle est habillée en zombie. »

« Elle s'habille toujours comme ça », rétorque le directeur.

« Mais elle a la peau grise et gluante, et elle pue la mort zombifiée! » s'écrie Georges.

« Elle sent toujours comme ça, proteste le directeur. Et elle a toujours la peau grise et gluante. »

Georges et Harold doivent admettre que les secrétaires d'école ressemblent trop aux vilains zombies abrutis pour qu'on puisse les comparer.

C'est alors que Mlle Empeine se penche et prend une grosse bouchée du bureau du directeur. « Dois détruire Terre », marmonne-t-elle en prenant une autre bouchée.

Même M. Bougon admet que sa secrétaire est un peu plus étrange que d'habitude.

CROUCH
CROUCH

Georges et Harold emmènent M. Bougon à la cafétéria pour confronter les bonnes femmes de la cafétéria venues de l'espace.

Soudain, Zorx sort de l'ombre et pose les mains sur les épaules d'Harold. « Je t'ai eu! » crie-t-il.

« Aaaah! » hurle Harold en tirant sur les gants de Zorx et en découvrant ainsi deux tentacules verts et gluants.

« Vous voyez, M. Bougon? dit Georges. On vous avait pourtant bien dit que c'étaient des monstres de l'espace! »

« BANDE DE NIGAUDS! hurle Zorx, maintenant je vais vous détruire! » Zorx pointe son tentacule en direction de Georges, d'Harold et du directeur, puis fait claquer ses doigts.

« CLAC! »

Tout à coup, M. Bougon commence à se transformer.

Il arbore maintenant un sourire héroïque. Il gonfle la poitrine et, d'un air triomphant, se met les poings sur les hanches.

« Oh non! s'écrie Georges, le monstre de l'espace a fait claquer ses doigts, et maintenant, M. Bougon s'est transformé en tu-sais-qui. »

« Attends une seconde, dit Harold, il n'y a pas de doigt sur un tentacule. On ne peut pas faire claquer un tentacule! »

« On n'a pas le temps de discuter des invraisemblances de l'histoire, rétorque Georges. Il faut arrêter M. Bougon avant qu'il ne soit trop tard! »

CHAPITRE 14
TROP TARD

M. Bougon se tourne et se précipite vers la porte. Les corridors sont parsemés de vêtements et résonnent de ses proclamations victorieuses célébrant la supériorité du caleçon.

Le capitaine Bobette s'élance sur la turbo-toilette 2000. La bataille commence!

« J'espère qu'on ne sera pas obligés d'avoir recours à une extrême violence! » dit Harold.

« J'espère bien que non », répond Georges.

CHAPITRE 15
CHAPITRE D'UNE VIOLENCE EXTRÊME, PREMIÈRE PARTIE (EN TOURNE-O-RAMA^{MC})

AVERTISSEMENT :

Le chapitre suivant comporte des scènes tout à fait inappropriées qui n'ont pas leur place dans un livre pour enfants.

Si vous vous sentez offensé par ce chapitre, posez ce livre immédiatement, levez les bras au-dessus de la tête et courez au magasin de chaussures le plus proche en hurlant à tue-tête. Une fois arrivé, demandez au vendeur de vous faire un cheeseburger.

(Remarque : notre conseil ne vous aidera pas du tout mais ce sera tordant...)

Voici le
TOURNE
Le champ de l'animation a beaucoup évolué ces dernières années : l'animation de marionnettes en pâte à modeler, la dynamation, l'animation japonaise et même l'animation par ordinateur!
Mais, à notre humble avis, rien ne vaut la TECHNOLOGIE D'ANIMATION QUÉTAINE, mieux connue sous le nom de ...
TOURNE-O-RAMA

PILKEY™
-O-RAMA
MODE D'EMPLOI :

Étape nº 1

Place la main gauche sur la zone marquée « MAIN GAUCHE » à l'intérieur des pointillés. Garde le livre ouvert et bien à plat.

Étape nº 2

Saisis la page de droite entre le pouce et l'index de la main droite (à l'intérieur des pointillés, dans la zone marquée « POUCE DROIT »).

Étape nº 3

Tourne rapidement la page de droite dans les deux sens jusqu'à ce que les dessins aient l'air animés.

(Pour avoir encore plus de plaisir, tu peux faire tes propres effets sonores!)

TOURNE-O-RAMA 1

(pages 79 et 81)

N'oublie pas de tourner seulement la page 79.

Assure-toi de pouvoir voir les dessins aux pages 79 et 81 en tournant les pages. Si tu les tournes assez vite, les dessins auront l'air de ne faire qu'un.

N'oublie pas de faire
tes propres effets sonores!

MAIN GAUCHE

GEORGES ET LE TRUC
DU ROULEAU À PÂTE

POUCE
DROIT

GEORGES ET LE TRUC
DU ROULEAU À PÂTE

TOURNE-O-RAMA 2

(pages 83 et 85)

N'oublie pas de tourner seulement la page 83.

Assure-toi de pouvoir voir les dessins aux pages 83 et 85 en tournant les pages. Si tu les tournes assez vite, les dessins auront l'air de ne faire qu'un.

N'oublie pas de faire
tes propres effets sonores!

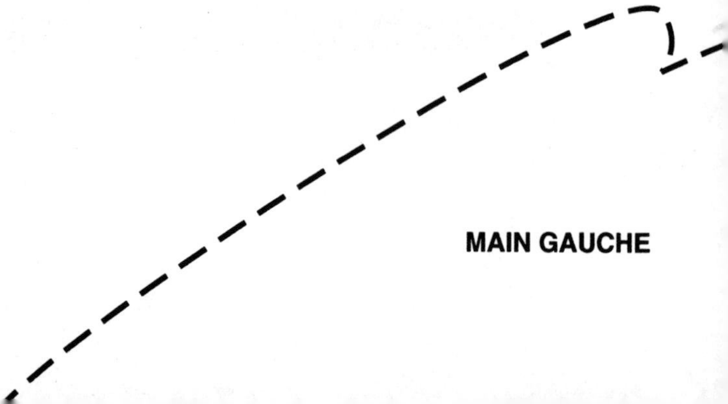

MAIN GAUCHE

HAROLD ASSOMME
UN DES MÉCHANTS

83

HAROLD ASSOMME
UN DES MÉCHANTS

TOURNE-O-RAMA 3

(pages 87 et 89)

N'oublie pas de tourner seulement la page 87.

Assure-toi de pouvoir voir les dessins aux pages 87 et 89 en tournant les pages. Si tu les tournes assez vite, les dessins auront l'air de ne faire qu'un.

N'oublie pas de faire tes propres effets sonores!

MAIN GAUCHE

GEORGES ET HAROLD
SONT LES HÉROS
DU JOUR

POUCE
DROIT

GEORGES ET HAROLD SONT LES HÉROS DU JOUR

CHAPITRE 16
L'ATTAQUE DES TOUT AUSSI VILAINS ZOMBIES ABRUTIS DE LA CUISINE

Georges et Harold reprennent leur souffle quand le capitaine Bobette daigne enfin faire une apparition.

« Tra-la-laaa », fait-il, je suis ici pour faire régner la vérité et la justice et me battre pour tous les tissus prérétrécis et faits de coton. »

« Y'est pas trop tôt! Où étiez-vous au chapitre 15 quand on avait besoin de vous? » demande Georges.

« J'étais en train de commander un cheeseburger au vendeur de chaussures », déclare le capitaine Bobette.

Pendant que nos trois héros discutent, ils ne remarquent pas que Zorx, Klax et Jennifer s'éloignent. Les extraterrestres blessés s'approchent des haut-parleurs de la cafétéria et appellent les élèves.

« Appel à tous les zombies, dit Jennifer, détruisez le capitaine Bobette, et n'oubliez surtout pas ses petits copains! »

Bientôt, tous les vilains zombies déposent leur revue O.V.N.I. Science et se dirigent vers la cafétéria.

« Dois détruire Bobette, grognent-ils, dois détruire Bobette. »

Nos trois héros sont soudainement entourés d'une bande de diaboliques zombies. Le cercle se referme lentement sur eux.

« Oh non! s'exclame Georges, et maintenant, qu'est-ce qu'on fait? »

« À la Bobettecave! s'écrie le capitaine Bobette.

« Il n'y a pas de Bobettecave », précise Harold.

« Non? s'étonne le capitaine Bobette. Eh bien, dans ce cas-là, montons à l'échelle! »

Georges, Harold et le capitaine Bobette
escaladent l'échelle et se retrouvent sur le toit.

« Nous voici enfin en sécurité », dit Harold.

« Oui », approuve Georges.

« Enfin », ajoute le capitaine Bobette.

CHAPITRE 17
VRAIMENT?

Après un court moment, Georges, Harold et le capitaine Bobette regardent derrière eux.

« Eh! fait Harold, qu'est-ce que ce gros machin volant fait sur le toit de l'école? »

« Et d'où vient donc cet énorme pissenlit diabolique à croissance rapide? » demande le capitaine Bobette.

Georges et Harold en ont le souffle coupé. Ils se regardent avec le sentiment de panique soudaine, que seuls connaissent les enfants qui ont créé, par inadvertance, une mauvaise herbe mutante géante.

« Euh...! bégaie Georges, on ne sait pas du tout comment c'est arrivé. »

« Euh....! c'est ça, approuve Harold, pas du tout. »

Au même moment, la porte du plafond s'ouvre brusquement et la tête démoniaque de Zorx en ressort.

« On vous a maintenant! » crie-t-il.

Comme nos trois héros n'ont nulle part où aller, ils grimpent en vitesse l'échelle du vaisseau et referment la porte.

À l'intérieur du vaisseau spatial, Georges, Harold et le capitaine Bobette découvrent un réfrigérateur rempli de jus étranges.

« Regardez ça! dit Georges, un carton de JUS ANTIZOMBIE! Comme c'est pratique! »

« Et ça! ajoute Harold, un carton de JUS D'AUTODESTRUCTION ULTRA-DANGEREUX! Ça pourrait toujours être utile. »

« Puis ça! commente le capitaine Bobette, un carton complet de JUS POUR SUPERPOUVOIRS EXTRAFORT! »

« Eh, donnez-moi ça! ordonne Georges en arrachant le carton des mains du capitaine Bobette. »

CHAPITRE 18
ESCLAVES
INTERSIDÉRAUX

Tout à coup, la porte du vaisseau spatial s'ouvre et les trois extraterrestres font leur apparition.

« Éloignez-vous du réfrigérateur, hurle Jennifer, et entrez dans la cellule! »

Georges et Harold cachent les cartons derrière leur dos et nos trois héros entrent dans la cellule.

Zorx met les moteurs en route et l'engin décolle. Il s'élève d'une centaine de pieds et survole l'école.

« Vous avez beaucoup de chance, misérables Terriens, dit Jennifer, vous allez assister à la destruction de votre planète, de votre cellule. Ensuite, vous aurez l'honneur de devenir nos esclaves intersidéraux! »

« Nooon », gémissent les deux garçons.

« Vite, Klax, ordonne Jennifer, donne-moi un carton de SUPERJUS CROISSANCE ACCÉLÉRÉE. On va en mettre dans nos pulvérisateurs, puis en asperger nos vilains zombies. »

CHAPITRE 19
RETOURNEMENT DE SITUATION

Klax revient avec un carton de SUPERJUS CROISSANCE ACCÉLÉRÉE, puis le place sur le tableau de commande.

« La Terre nous appartiendra bientôt », ricane Jennifer.

Les trois compères jettent la tête en arrière et se mettent à rire, mais à rire…

Soudain, Georges a une idée.

Il murmure quelques mots à Harold, passe
doucement le bras entre les barreaux et prend le
carton de SUPERJUS CROISSANCE ACCÉLÉRÉE.

Georges enlève délicatement l'étiquette du carton et la recolle sur le JUS D'AUTODESTRUCTION ULTRA-DANGEREUX.

Pendant ce temps, Harold passe le bras entre les barreaux et intervertit les affiches CARBURANT et PULVÉRISATEUR.

Enfin, Georges replace sur le tableau de
commande le carton de JUS D'AUTODESTRUCTION
ULTRA-DANGEREUX (qui porte maintenant le nom
de SUPERJUS CROISSANCE ACCÉLÉRÉE).

« Je ne comprends pas, souffle le capitaine
Bobette. Le réservoir à carburant s'appelle
désormais PULVÉRISATEUR et le pistolet,
CARBURANT, et vous avez replacé le jus croissance
accélérée par du jus d'autodestruction. Qu'est-ce
que ça veut dire? »

« Vous le saurez bien assez tôt », déclare Harold
avec tristesse.

Les trois monstres de l'espace ayant ri tout leur soûl, Jennifer verse le contenu du carton qui porte l'étiquette SUPERJUS CROISSANCE ACCÉLÉRÉE dans l'orifice portant l'étiquette PULVÉRISATEUR.

« Oh, je comprends, fait le capitaine Bobette, le monstre n'a pas versé le jus croissance accélérée dans le pulvérisateur, il a versé le jus d'autodestruction dans le réservoir de son propre vaisseau. »

« C'est bien ça », soupire Georges.

« Ça veut dire que la soucoupe va exploser en mille miettes! »

« C'est ça », confirme Harold d'une voix triste.

Le vaisseau se met alors à vibrer. De la fumée sort du tableau de commande, des étincelles éclatent en tous sens et le plafond commence à se désagréger.

Le capitaine Bobette sourit fièrement parce qu'il a enfin compris le plan de Georges. Mais son sourire se fige brusquement.

« Eh, crie-t-il, mais nous sommes à bord du vaisseau! Qu'est-ce qui va nous arriver à nous? »

« Il faut nous sacrifier pour la planète, affirme Georges. J'ai bien peur que nous ne survivions pas. »

« Bien sûr qu'on va survivre, déclare le capitaine Bobette. La force du caleçon est avec nous. »

CHAPITRE 20
LA GRANDE ÉVASION

Le capitaine Bobette prend un rouleau de papier hygiénique dans les toilettes de la cellule.

« Ça nous servira de liane », suggère-t-il.

« Ce n'est pas assez solide pour ça », rétorque Harold.

« Oh oui, ça l'est! déclare le capitaine Bobette. Je m'en suis servi dans mon dernier album de bandes dessinées! »

Le capitaine Bobette ouvre la fenêtre de la
cellule et lance le papier hygiénique sur un grand
arbre. « Allez, les gars, sortons d'ici avant que tout
explose. »

« Le papier de toilette n'est pas assez solide pour
supporter votre poids », avertit Georges.

« Bien sûr qu'il l'est, rétorque le capitaine
Bobette. Il a deux épaisseurs. »

Georges et Harold agrippent la cape du capitaine Bobette. « Ne sautez pas », s'écrient-ils en chœur.

Mais le capitaine n'écoute pas. Il saute par la fenêtre, Georges et Harold pendus à sa cape.

« AAAAAH! » font-ils en s'écrasant sur le sol. Ils sont tous tués sur le coup.

SPLACH!

C'était juste une farce.

Comme de raison, le papier hygiénique n'est pas assez solide pour supporter le poids de nos trois héros et, pendant un moment, la fin semble proche pour eux.

Mais, tout à coup, la cape en polyester rouge du capitaine Bobette s'ouvre comme un parachute.

FOUOUOUP!

Georges, Harold et le chevalier Bobette descendent lentement tandis que le vaisseau spatial explose en mille miettes.

KA-BOUM!

« Hourra! crie Harold. On ne va pas mourir! ON NE VA PAS MOURIR! »

« Je n'en suis pas si sûr... », commente Georges.

CHAPITRE 21
LES DENTS DE LA MORT :
UN DANGEREUX
PISSENLIT

Georges, Harold et le capitaine Bobette descendent droit dans la gueule béante du dangereux pissenlit.

« Misère! gémit Harold, on aurait pu se faire tuer dans l'explosion d'une soucoupe volante. Ç'aurait été super, mais non! Il faut qu'on meure dévorés par un stupide pissenlit. Tu parles d'une humiliation! »

« Ouais, approuve Georges, les gens vont se moquer de nous à nos funérailles. »

Le pissenlit mâchonne le capitaine Bobette et secoue Georges et Harold comme des poupées de chiffon.

Les deux garçons lâchent prise et se retrouvent sur le toit de l'école.

« AU SECOURSourOURour! » crie le capitaine Bobette pendant que la plante le secoue d'avant en arrière.

« Que faire? » demande Harold.

« J'ai une idée, propose Georges. Je sais que c'est une mauvaise idée et qu'on va le regretter, mais il faut agir vite. Le sort de toute la planète est entre nos mains. »

Lorsque le pissenlit est assez près, Georges verse
le JUS POUR SUPERPOUVOIRS EXTRAFORT dans
la bouche du capitaine Bobette.

« À ton avis, qu'est-ce qui va arriver? » demande
Harold.

« Je ne sais pas, mais j'ai l'impression qu'on va
voir de la violence extrême. »

CHAPITRE 22
CHAPITRE D'UNE VIOLENCE EXTRÊME, DEUXIÈME PARTIE (EN TOURNE-O-RAMA^MC)

AVERTISSEMENT :

Le chapitre suivant comporte des scènes très déplaisantes.

Elles ont toutes été exécutées par un cascadeur qualifié et un pissenlit cascadeur licencié. N'essayez pas de vous battre contre des pissenlits diaboliques géants, même après avoir bu du JUS POUR SUPERPOUVOIRS EXTRAFORT.

Vous risqueriez de vous faire gravement bobo.

– Le Conseil national de la prévention des bobos

TOURNE-O-RAMA 4

(pages 119 et 121)

N'oublie pas de tourner seulement la page 119.

Assure-toi de pouvoir voir les dessins aux pages 119 et 121 en tournant les pages. Si tu les tournes assez vite, les dessins auront l'air de ne faire qu'un.

N'oublie pas de faire
tes propres effets sonores!

MAIN GAUCHE

LE PISSENLIT
ATTAQUE

119

POUCE
DROIT

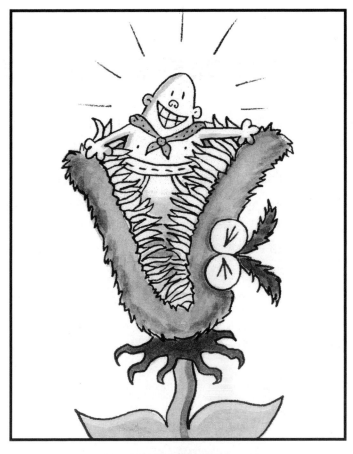

LE PISSENLIT
ATTAQUE

TOURNE-O-RAMA 5

(pages 123 et 125)

N'oublie pas de tourner seulement la page 123.

Assure-toi de pouvoir voir les dessins aux pages 123 et 125 en tournant les pages. Si tu les tournes assez vite, les dessins auront l'air de ne faire qu'un.

N'oublie pas de faire
tes propres effets sonores!

MAIN GAUCHE

LA PASSE
DE LA BOBETTE

POUCE
DROIT

LA PASSE
DE LA BOBETTE

TOURNE-O-RAMA 6

(pages 127 et 129)

N'oublie pas de tourner seulement la page 127.

Assure-toi de pouvoir voir les dessins aux pages 127 et 129 en tournant les pages. Si tu les tournes assez vite, les dessins auront l'air de ne faire qu'un.

N'oublie pas de faire
tes propres effets sonores!

MAIN GAUCHE

BRAVO, CAPITAINE BOBETTE!

BRAVO, CAPITAINE BOBETTE!

CHAPITRE 23
CHAPITRE
VINGT-TROIS

Le capitaine Bobette (à l'aide de ses nouveaux superpouvoirs) a vaincu le dangereux pissenlit. Il ne reste plus qu'à arrêter les vilains zombies abrutis.

« Comment va-t-on faire pour les arrêter? demande Georges. Vont-ils jamais revenir à leur état normal? »

« On pourrait peut-être essayer le JUS ANTIZOMBIE », suggère Harold.

Georges roule les yeux. « J'espérais quelque chose d'un peu plus spectaculaire, commente-t-il, mais l'album touche à sa fin. OK, allons-y! »

Harold fait une grosse brassée de RACINETTE ANTIZOMBIE et ordonne à tous les élèves et les professeurs de l'école d'en boire un bon coup.

Les zombies font la file. « Dois boire racinette, chantonnent-ils en chœur, dois boire racinette. »

Après que le dernier zombie a fini de boire sa dernière gorgée de racinette, Georges ordonne au capitaine Bobette de remettre les vêtements de M. Bougon.

« Mais, si je m'habille, je vais perdre mes superpouvoirs, proteste-t-il. Il faut que le pouvoir du caleçon soit... »

« Habillez-vous et que ça saute! » crie Georges.

Le capitaine Bobette fait ce qu'on lui a ordonné.
Georges lui verse alors de l'eau sur la tête.

« Il ne nous reste plus qu'à attendre, dit
Georges, en espérant que tout le monde redevienne
comme avant. »

CHAPITRE 24
BREF...

Tout le monde redevient comme avant.

CHAPITRE 25
DE RETOUR À LA NORMALE?

« Hourra! s'exclame Harold, tout est enfin revenu à la normale! »

« Oui, dit Georges, ça fait du bien. »

Mais « à la normale » ne sont peut-être pas les termes exacts car, si les élèves et les profs sont bel et bien redevenus comme avant, le directeur, lui, a décidément changé.

Parce que, depuis ce jour fatidique, chaque fois que M. Bougon entend quelqu'un faire claquer ses doigts...

CLAC!

... il se transforme non seulement en tu-sais-qui, mais en tu-sais-qui avec des superpouvoirs.

Alors, si tu crois que Georges et Harold avaient de la difficulté à le maîtriser avant...

... tu n'as encore rien vu!

« OH NON! » hurle Harold.

« ET V'LÀ QUE ÇA RECOMMENCE! »
hurle Georges.

Dav Pilkey n'a pas créé que
Capitaine Bobette et l'invasion
des méchantes bonnes femmes de la cafétéria
venues de l'espace (suivi de : l'attaque des tout
aussi vilains zombies abrutis de la cuisine),
il a également écrit un tas d'autres livres tout aussi
passionnants les uns que les autres, dont :

Les aventures du capitaine Bobette

Capitaine Bobette et l'attaque
des toilettes parlantes